KB103728

작은 의자

작은 의자

발　행 | 2016년 03월 02일
저　자 | 정민경
펴낸이 | 한건희
펴낸곳 | 주식회사 부크크
출판사등록 | 2014.07.15.(제2014-16호)
주　소 | 경기 부천시 원미구 춘의동 202 춘의테크노파크2단지 202동 1306호
전　화 | (070) 4085-7599
이메일 | info@bookk.co.kr

ISBN | 979-11-5811-779-5

www.bookk.co.kr

작은 의자

정민경 지음

인스타그램 : mingoo_jj

mingoo_jj@naver.com

바람은 늘 그렇게 한 방향으로 불지 않는다.

나를 앞으로 마구 밀었다가 다시 뒤로 물러나게도 하니까.

가끔은 내가 전혀 맞설 수 없을 만큼 강한 힘으로 말이다.

2007년 3월 26일

CONTENT

나를 응원해준 친구들에게 이 책을 바칩니다.

제1화. 작은 의자

이해는 항상 오해의 전부에 지나지 않는다. 누가 바다와 바다가 반영시키는 그림자를 구분할 수 있을까? 또는 비와 외로움을 구분할 수 있을까?

스푸트니크의 연인, 1999

무라카미 하루키의 모호함을 사랑하던 때가 있었다. 익숙한 뒷모습을 좇는 습관처럼 아무것도 정립되지 않은 그때의 나와 꽤 닮았다고 느꼈으니까, 그와의 만남처럼 말이다.

그를 만난 후 나는 이유 없이 우는 일이 많아졌다. 이틀 연속 그에 관한 꿈을 꾸기도 하고 고등학생이 되었다가 인디아나 존스 같은 탐험가가 되기도 했지만 꿈에서건 현실에서건 그는 정작 내 곁에 있지 않았다.

그는 참 능력 있는 남자였고 나는 꿈 많은 사회 초년생이었다. 그와 나의 만남은 흡사 로맨스 소설에서 많은 소녀들이 꿈꾸는 방식으로 이루어졌지만 처음부터 그것이 사랑으로 다가오지는 않았다.

사귄 지 보름 정도 되던 어느 날 그가 손을 잡자고 했다. 손을 잡는 것이 무슨 대수인가 별생각 없이 잡은 그의 손은 온갖 상처투성이였다. 손이 왜 그래?라고 묻는 내게 그는 아버지가 엄해서 이것저것 해보지 않은 일이 없다고 했다. 말은 하지 않았지만 이제는 검게 흉터만 남은 그 손이 괜스레 찡해서 가슴이 아팠다. 아마도 그때 이미 나의 사랑은 시작되고 있었던 모양이다.

하지만 남자와 여자의 사랑은 역방향이라고 내 사랑이 깊어 갈수록 그의 사랑은 옅어져 갔다.

아등바등, 그를 잃지 않으려고
아등바등, 나를 잃지 않으려고

나는 지금 작은 의자에 몸을 웅크리고 앉아 떨어지지 않으려고 발끝에 힘을 주고 있다. 워낙 작은 의자라서 당신은 아마 내가 어떤 포즈로 얼마나 안간힘을 쓰고 있는 줄 모를 것이다.

제2화. 장난 전화

수화기를 들고 아주 느리게 하나, 둘, 셋을 센다.

여보세요.

저쪽의 목소리가 가느다란 선을 따라 광대뼈와 일직선상에 있는 귀에 또렷하게 전달되면 숨을 고르고 전화를 끊는다. 나는 가끔 이런 유의 장난을 한다. 아무 번호나 내키는 대로 누르고 상대방이 받기를 기다렸다가 여자 혹은 남자의 목소리를 확인한 후 약 3초간 있다가 끊기.

참 해괴한 취미라고 해도 되겠다.

가끔 지금처럼 기분이 좋지 않은 날, 내 손은 벌써 다이얼을 누르고 있다. 사실 나는 누군가와 이야기하는 것을 좋아하는 타입은 아니다. 그러나 아이러니하게도 사람들과 함께 있을 때 유형별로 얘기하자면 나는 이야기를 하는 쪽이다.

다시 한 번 희한한 얘기지만 나는 이야기를 하는 것도 이야기를 듣는 것도 좋아하지 않는다. 엄밀히 따지자면 누군가를 만나서 이야기를 해야만 하는 상황이 싫다. 그렇지만 내 얼굴은 딱히 싫은 표정도 아니다.

어쨌든 이런 유의 전화를 받은 사람들은 하나같이 바로 끊어 버리는 경우는 없다. 대답하지 않는 묘령의 상대가 누구일까? 혹시 지나간 사랑? 아니면 나를 짝사랑하고 있는 누군가?

그들은 짧은 시간 동안 가능성의 얼굴을 그려놓고 행복하거나 조금 고통스러운 상상을 한다. 그리고 그 감정

들은 신기하게도 내가 카운트를 세는 동안 수화기 너머로 고스란히 전해져 온다.

하나, 둘, 셋

제3화. 연애는 낚시

나를 가슴에 품었다던가 품지 않았다던가.

그녀를 만났다던가 혹은 만나지 않았다던가.

아니면 이제 와 말하지만 나를 가슴에 품은 채로

그녀를 만났다던가 하는 것은 중요치 않다.

요점은 내가 당신을 품었던가 아닌가이니까.

대학 때 바람둥이로 유명했던 선배가 있었다. 집이 가까워 오며 가며 꽤 친해졌었는데 언젠가 한 번 내가 연애

상담을 했더니 선배가 말했다.

“연애는 낚시야. 미끼를 던지는 거지.”
“미끼?”
“그래, 미끼. 사귀어도 괜찮겠다 싶은 사람이 생기면 막 던지는 거지.”
“뭘 던져?”
“뭐라니…… 미끼라니까.”
“그걸 어떻게 던져?”
“어떻게 던지다니 그냥 막 잘해주는 거지.”
“아, 그래? 난 잘 안 되던데.”
“안 되긴 하면 다 돼.”
“그래? 시도해 봐야겠다.”
“참고로 미끼는 많이 던질수록 좋다?”
“많이?”
“그래. 여기저기 막 던졌다가 그걸 무는 사람이랑 사귀면 돼.”
“헐, 한 사람한테만 던지는 게 아니었어?”
“어? 당연하지. 한 사람한테만 던지면 그게 어떻게 낚시가 되냐?”

"아……."

"근데 조심할게 하나 있어."

"뭔데?"

"눈먼 고기라고 미끼를 던지지 않았는데도 그걸 무는 고기야."

"헐. 그럴 땐 어떻게 해?"

"어떡하긴 조심해야지."

선배는 대학 동안 참 많이도 사귀고 헤어졌던 것 같다. 그리고 선배가 군대에 가면서 헤어지게 되었지만 개중엔 내 친구도 있었더랬다. 졸업식 날 송별회에서 술을 마시면서 선배는 내게 말했다.

"민경아, 넌 남자를 만나려면 술을 마셔야 돼. 정말."

"왜?"

"술을 먹고 좀 취하기도 하고 그래야 남자친구가 생기지."

"그게 뭐야. 술 먹어야 남자친구 생기면 그냥 안 먹고 만다. 맛없어. 술~!"

얼마 전에 아주 친한 여자 선배에게 전화가 왔더랬다. 받았더니 대뜸 그런다.

"너 J 서울에 있는 거 알지?"

"엉. 저번에 언니가 술 마실 때 전화했었잖아. 내 연락처도 맘대로 가르쳐주고."

"어. 아, 미안."

"연락 왔더라고 영화 보자고."

"그래서 봤어?"

"아니, 내가 그 오빠랑 영화를 왜 봐."

"어. 그래. 근데 그거 알아?"

"뭐?"

"그때 걔가 너 좋아했대. 술 마시면서 얘기하더라."

"……."

"민경아, 우리 학번 이 번에 한 번 뭉치기로 했는데 너도 같이 볼래?"

"뭐야, 학번도 다른데 재밌게 놀다 오셔."

"왜 애들도 너 와도 괜찮다고 했는데."

"웃기셔. 노친네들 사이에 껴서 노는 거 내가 싫다고."

대학 4년을 다니면서 가끔 그 선배의 농담이나 웃음 속에서 그 감정이 보이지 않았다면 거짓말이다. 만약 그 선배의 마음이 끊임없이 나를 두드렸더라면 아니 조금이라도 진중하게 느껴졌더라면 나는 아마 그 마음을 그리도 차갑게 외면하지는 못 했을 것이다.

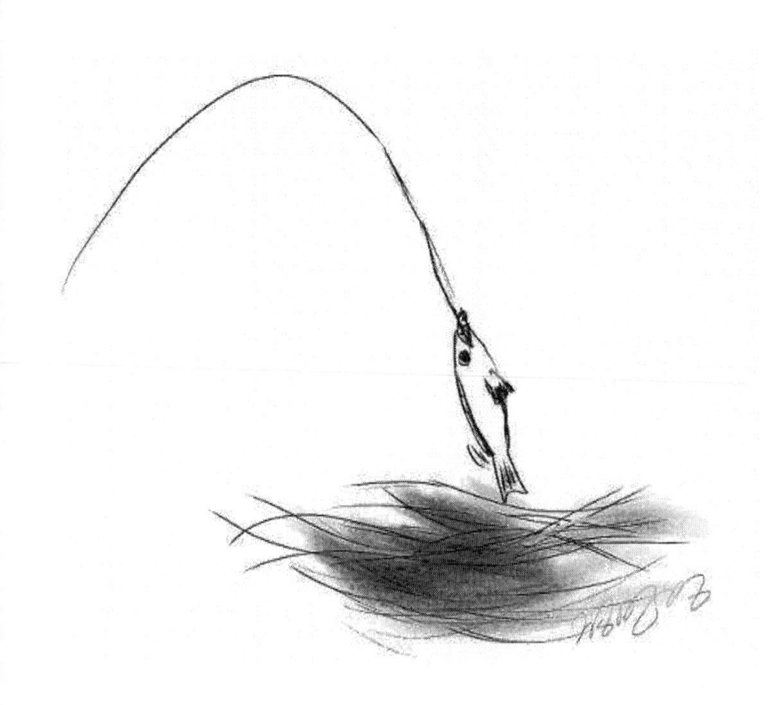

제4화. 편지

7년 전 우리는 이글이글 아지랑이가 피는 계절 경주에서 처음 만났다. 수많은 사람들이 익명으로 스쳐 지나는 길목 어귀에서 마중하듯 만난 우리는 어쩌다 보니 동갑이었고 어쩌다 보니 친구가 되었다. 언제 하게 될지 본인도 모르는 결혼식에 부케는 꼭 나더러 받으라는 너는 사실 내 반쪽 같던 친구와 조금 닮았다.

초등학교, 중학교, 고등학교, 대학교 어느 한 군데 겹치는 곳도 심지어 동네 친구라고도 할 수 없는 너와 나의 거리는 현재 동해를 사이에 두고 벌어져 있다.

매일 밤 너는 곧 외출이라도 할 차림새로 잠자리에 든다 한다. 머리맡에 여권이나 물 따위를 챙겨놓은 가방을 두고 성난 땅의 움직임을 느끼며.

네가 계속 무사하길…….
그리고 빨리 돌아오길 간절히 바라본다.

2011년 3월 14일

제5화. 무기력한 날

무기력한 날이었다. 아침부터 그랬던 건 아닌데 점심을 먹고 시간이 흐를수록 점점 기분이 나빠지고 있었다. 원인을 생각해봐도 마땅히 떠오르는 것이 없었다.

집으로 가는 차 안에서 슬픈 노래를 반복해서 들었다. 눈을 감고 있는데 손에 미약한 진동이 왔다. 모르는 번호였다. 평소 모르는 번호는 잘 받지 않아 그냥 넘기려다가 택배인가 싶어 얼른 통화 버튼을 눌렀다.

"여보세요? 누구세요?"

쉴 틈도 주지 않고 물었다. 아마 내 목소리는 모르는 번호를 향한 경계심을 그대로 드러내고 있었겠지.

"아, 여보세요? 민경이가?"
"아…… 장미구나."
"엉, 나다. 자고 있었나?"
"엉, 그냥 눈 감고 있었어. 퇴근하는 길이야."
"아, 그래? 차 안인갑네? 금 지금 바쁘니까 니 지금 살고 있는 주소 쫌 불러 봐라. 너 전에 일본 왔을 때 갖고 싶어 했던 향수 있지? 나 그거 너 주려고 사 왔다~!"
"왜 샀어, 그냥 오지. 택배 부치지 말고 너 그냥 써. 나 괜찮아."
"뭔 소리가?! 너 그때 그거 사고 싶어 했잖아. 내가 그거 살라고 얼마나 알바 열심히 한 줄 아나. 됐고, 주소나 불러 봐라. 아! 이동 중이라 쫌 그러나? 금 꼭 문자로 보내라. 알겠지?"
"어, 알았어."

서둘러 전화를 끊었다.

눈물이 한 방울 툭 떨어졌다.

가끔씩 우주에 혼자 남겨진 것처럼 느껴지는 날들이 있다. 내가 좋아하는, 혹은 아무 나쁜 감정도 갖고 있지 않은 상대에게서 나를 향한 적의를 느낀 날. 아…… 내가 뭘 잘못했나? 나를 미워하고 있었구나. 생각하면 우울해지던 그날에 걸려온 친구의 전화.

고맙다, 친구야. 그날 망설이던 내 손을 잊지 않고 있어줘서 그리고 네 마음에 계속 담았다가 기어코 그대로 가지고 와 주어서 나는 그날 네 덕분에 아주 행복했었어.

제6화. 미오

분명 처음 이사 왔을 때 이곳엔 길손님이라곤 하나도 보이지 않았다. 학교가 많고 교통이 좋은, 그냥 사람 살기 좋은 따뜻한 동네.

똑. 똑. 똑.

그러던 어느 날 내게 반갑지 않은 손님이 찾아왔다. 사람에 대해서 많이 배웠고, 많이 울었던 첫 사회생활. 적응이 되자 그간 무리했던 심신이 고장 나기 시작한 것일까?

이 조그마한 방에서 내가 무엇을 해도 모르겠지. 한없이 우울해져서 매일 슬픈 노래만 들었다. 급기야 장 그르니에의 말마따나 나를 절름발이로도, 추물로도, 장님으로도, 귀머거리로도, 불구로도, 늙은이로도 보지 않을 그런 개 한 마리를 구할 작정이었다.

작고 귀여웠던 한때 사랑받고 유기되었던 이 아이는 밥을 주던 선생님을 따라 역까지 왔더랬다.

'버린 손'과 '거둔 손'

무수한 사람들의 손을 거쳐 미오는 그렇게 내게 왔다. 새 생명처럼 다시 시작하는 삶처럼.

"사랑한다, 미오야."

제7화. 가끔은 그런 생각을 한다.

가끔은 그런 생각을 한다. 세상과 싸워 이기고 싶지 않을 때 모든 것이 지나간 타인의 인생을 대신 살고 싶다고 하는 허무맹랑한 생각.

매일매일 다른 일들이 일어난다. 변기를 고치면 세면대 물이 샌다던가. 세면대를 고치면 다시 변기 물이 내려가지 않는다던가. 추가요금을 지불하고 데이터 용량을 늘린 핸드폰은 한국과 인터넷망 환경이 달라 3G 사용이 안 된다던가. 한국에 다녀오니 멀쩡했던 유심 칩이 사용할 수 없거나, 가스버너를 사면 중국은 일반 마트에서 부탄가스를 팔지 않고, 한국에서 선박으로 미리 부친 짐은 내가 중국에 도착하고도 한 달이나 지나서 출항을 한다던가, 내 사이즈의 신발은 잘 팔지 않거나 하는 것.

오늘은 갑자기 티브이가 안 나오기 시작했다. 아침에 출근할 때까지 멀쩡했던 것이 저녁에 퇴근하고 오니 신호가 잡히지 않는다는 문구와 함께 화면이 까맣다. 예측할 수 없는, 아니면 아직 익숙하지 않은 그런 환경 속에서 하루하루를 살고 있다.

새로운 환경에 거부감은 없지만 외국 생활을 동경한 적은 없다. 다만 새로운 것에 부딪히고 적응하는 것에 두려움이 없을 뿐, 익숙한 것만큼 편안한 것이 없다.

'사서 고생을 한다는 건 몇 살까지 통용되는 걸까?'

제8화. 고치고 싶은 성격

나는 붐비는 오후 L 몰에 앉아 있었다. 영화 시간을 이십 분 남짓 남겨놓고 있었기 때문에 특별히 하릴없이 휴대폰으로 인터넷 가십 난 이나 뒤지고 있었다.

"저기…… 안녕하세요."

아는 사람인가? 고개를 들어 확인한 얼굴은 선한 토끼 눈을 한 여자애였다. 자신을 색채학을 공부하는 대학생이라고 소개한 그녀는 내가 시간을 허락하자 기쁜 얼굴로

옆자리에 앉았다.

먼저 나이와 성별을 체크하고 좋아하는 색을 물어왔다. 검은색, 흰색, 청색, 적색 이렇게 네 가지였나? 나는 검정과 청색에서 조금 고민하다가 청색을 골랐다. 그다음엔 생일을 물었다. 그녀가 만들었다는 몇 장의 표에 의하면 1월 25일생인 나는 보색이 흰색이었다.

짜잔~ 그녀가 표 사이사이 그려진 강아지 모양을 가리키며 "귀엽죠? 제가 그렸어요." 말하는 사이 나는 '어느 타이밍에 도에 대해서 말할까? 혹은 피라미드 영업을 당할지도…….'라는 생각을 하고 있었다.

결과적으로 말하자면 그녀는 '피라미드'도 '도를 아십니까?'도 아니었다. 진짜 색채학을 공부하는 대학생인지도 알 수 없지만 말이다.

다시 색채학 얘기를 하자면 파랑을 좋아하는 사람의 기본 성격은 고집, 끈기, 꾸준함. 보색과 일치하지 않을 경우 신장이 안 좋을 수 있다고 했다. 그녀는 어떤 것

같으냐고 물었고 나는 부분적으로 동의했다.

그녀는 얼굴에도 성격이 나타나는데 내 얼굴에서 자존심과 생각이 많음을 읽을 수 있다고 했다. 나는 공상하기를 좋아하며 생각이 많으나 대부분 쓸데없는 잡생각이며 확대해석을 하는 편이라고도 했다.

마지막으로 그녀는 고치고 싶은 성격이 있냐고 물어봤다. 분명 고치고 싶은 성격이 있었는데 그것을 말로 하려니 전달이 잘 되지 않았다. 아마도 생각과 다르게 말하는 것? 열심히 설명했지만 그녀는 정리하기 힘든 것은 안 적는 것이 낫다며 인사를 하고 가버렸다.

나는 권투 시합에서 연타를 맞은 선수처럼 멍하니 앉아 있다가 손목시계 분침이 아까부터 줄곧 8자에 머물러 있는 것을 깨닫고 서둘러 영화관으로 향했다.

고치고 싶은 성격은 영화를 보고 집에 돌아오는 길에 정확히 떠올랐다. 낯선 사람과의 어색한 자리, 불편한 침묵 속에서 전혀 그렇지 않은 표정으로 하고 싶지 않은 말을 끊임없이 하고 있는 나에 대해서…….

제9화. 혼자 그러지 마요

2006년 스물다섯 살의 봄. 나는 일본 유학이라는 예상에 없었던 방법으로 독립했다. 세 자매인 덕분에 언제나 시끌시끌 접시 깨지는 소리가 요란했던 집에서 벗어나 아는 이 한 명 없는 타국으로의 독립.

혼자 사는 것도, 외국에 사는 것도 처음이었던 나는 그때 알게 된 감정이나 습관이 어디서부터 온 건지 잘 구분하지 못 하였지만 그 시기에 처음으로 내가 좋아하는 것이 무엇인지, 싫어하는 것이 무엇인지 '나'에 대해서 명

확하게 알게 되었던 것 같다.

가령 나는 혼자 있어도 습관적으로 티브이를 켤 만큼 영상을 즐기지 않으며 회 천국이라는 일본의 흔한 회전 초밥집에서도 조각 케이크나 집어먹는 저질 입맛을 가졌으며 독하게 주량을 늘려 보겠다고 섞어 마셨던 하이츄와 카시스 오렌지를 다 토해내고선 '술은 정말로 안 되는구나……' 깨달았다. 시부야의 시끄러운 거리에서 스치듯 들었던 노래에 반해 가게 된 야나와라바의 소규모 콘서트 장에서서는 '내가 이렇게 추진력이 있는 사람이었나?' 하기도 했었다.

나는 그 해 혼자라서 좋거나 나쁘거나 했던 일들 사이사이에서 '진짜 나를 발견하는 기쁨'에 조금씩 빠져들고 있었다. 그리고 그건 내게 혼자라는 외로움을 넘어서는 흥미로움이었다.

일본에서 또 한국에서 그 후로 오랫동안 나는 점점 혼자 할 수 있는 일들이 많아졌다. 혼자 식사를 하고 혼자 영화를 보는 것이 점점 익숙해지던 어느 날 다가온 그 사람.

“뭐 해요?”

“영화 봤어요.”

“누구랑요?”

“혼자요.”

“…… 혼자 그러지 마요.”

‘혼자 그러지 마요.’

같이 밥을 먹겠다.

영화를 보겠다.

이제부터 쭉 곁에 있겠다.

아무 말도 없었지만 위로가 되었던 말.

K, 당신이 있어 참 따뜻한 봄이었습니다.

제10화. 만나고 싶지 않아도 만나야만 하는 사람이 있었다.

빠른 비트의 노래처럼 짧은 만남에도, 한 권의 두꺼운 책처럼 보였던 견고한 우정에도, 이별은 곰살맞게 제 타이밍을 알고 찾아왔다. 설사 이쪽에서 원하지 않는다 해도…….

대학을 졸업하면서 내 생활은 색채를 잃어갔다. 대학생활에 엄청난 열의가 있던 것도, 미련이 있던 것도 아니었으면서, 언제는 내 인생의 가장 영양가 없는 날들이었다고 그렇게 말하기도 했으면서……. 나는 탄력을 잃어버린 공처럼 튀어 오르지 못하고 있었다.

만나고 싶지 않아도 만나야만 하는 사람이 있었다. 지금은 마주칠 수조차 없는 사람이 되었다고 해도, 그땐 그랬다.

'2년 전에 그녀를 위해 죽을 수도 있다고 생각했지. 하지만 지금은 그녀의 이름도 생각나지 않아.' 그랑블루(1988, 뤽 베송)에서 엔조가 말했을 때 나는 깨달아야 했었는지도 모른다.

이별은 비단 죽음에서만 오는 것이 아니며, 누군가의 기억에서 지워졌을 때 나는 살아 있어도 죽을 수 있다는 것을…….

제11화. 얼음

어릴 때 즐겨 했던 놀이가 있다. '얼음' 하고 굳어 있으면 술래가 와도 무섭지 않다. 움직이지 않으면 아무 일도 일어나지 않는다.

술래가 된 친구가 내 앞으로 와서 제 얼굴을 이리저리 움직여 웃긴 표정을 지어 보이기도 하고 행여 내가 움직일까 주위를 빙빙 돌기도 하지만 소용없다.

'얼음'

가만히 발음해 본다. 모든 게 멈추고 아무 일도 일어나지 않는다. 누군가 와서 나를 풀어주지 않아도 좋아. 그냥 '얼음' 아무것도 바뀌지 않았으면 좋겠다.

제12화. 위대한 개츠비

불신이란 어디서 오는 것일까? 무수한 오해들로부터? 일일이 확인할 수야 없겠지만 분명 그 속엔 절대 믿기지 않은 진실도 얼마쯤 있었을 것이다. 그렇다고 해도 이제 와 무엇을 어떻게 할 수 있을까? 이미 모든 게 이별의 들러리가 되어버린 것을…….

개츠비처럼 살고자 했던 남자가 있었다. 어디에선가 그 남자도 이 영화를 보고 있겠지? 물론 그 남자가 지금쯤 데이지를 만나 결혼을 했는지, 아니면 비극적인 죽음을

맞이했는지 나는 모른다.

다만 내가 아는 것이 있다면 나는 데이지가 아니었고 그 역시 개츠비가 아니었다는 것뿐.

제13화. L 그 녀석

내가 아직 L 그 녀석과 연락하고 지낼 때 어느 날 너무 슬프고도 아름다운 이야기가 있다며 흥분해서는 L이 내게 했던 이야기를 나는 아직 기억하고 있다.

한 여자와 남자가 있었는데 여자는 남자를 너무 사랑했다. 여자는 병에 걸려 죽어가면서도 몸을 팔아 남자를 도왔고 여자가 죽기 직전에야 남자는 그 사실을 알고 눈물을 흘렸다. 그리고 남자의 품에서 여자는 죽었다. L이 이야기를 끝낸 직후 나에게 말했다.

"너무 아름답고 슬프지 않냐?"

저기요?? 나는 순간 L의 머리에 노크를 하고 싶어졌다. 여자 입장에서도, 남자 입장에서도 이건 비극적으로 슬픈 이야기이지 결코 아름다운 이야기는 아니지 않는가? 대체 어느 부분에 아름다움이 있지? 나는 분노해서 "너는 머리가 좀 이상한 것 같아."라고 말했던 것 같다.

사실 L이 한 이야기는 조금 달랐을지도 모른다. 아마 '여자와 남자는 서로 사랑했다.'로 시작했던 이야기가 맞을 것이다. 그런데 나는 눈을 씻고 찾아봐도 그 이야기 속에서 남자가 여자를 사랑하는 대목을 찾을 수가 없었다.

사랑하는 여자를 저리 쓸쓸히 죽어가게 두는 남자가 정말 있을까? 정말로 사랑하지 않았거나 바보, 멍청이, 말미잘 정도는 되어야 할 수 있는 행동이 아닌가?

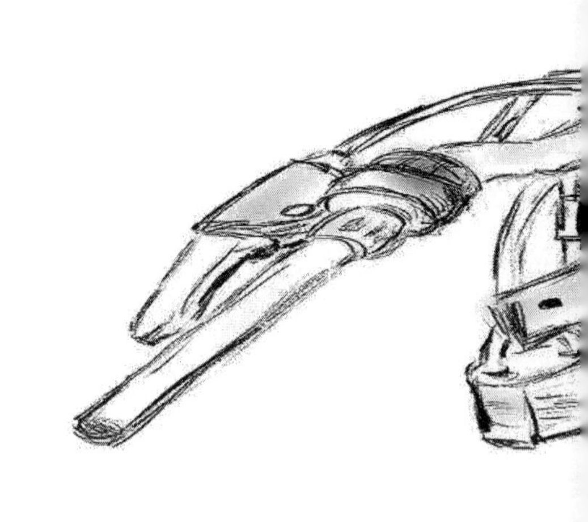

제14화. 자전거 핸들

여느 때와 마찬가지로 나는 열심히 자전거 페달을 굴려 목적지로 향했다. 초봄. 따뜻한 기운을 타고 파릇파릇 돋아나는 새싹의 내음이 기분을 상쾌하게 하고, 버스나 자동차를 타고 다닐 때는 느낄 수 없었던 땅의 굴곡이 페달을 밟을 때마다 고스란히 온몸에 와 닿았다.

목적지까지 가는 길은 거의 꾸준한 오르막길이다. 반대로 돌아올 때는 내리막길의 연속이라 이동시간이 반으로 줄어든다.

힘들게 올라갔다가 단숨에 내려오는 길을 열흘 이상 반복한 어느 날이었다. 막 오르막길이 시작되어 나는 자전거를 밀며 걷고 있었다. 붉은색으로 자전거길이 나 있는 인도에 푸른색 종이 같은 것이 보였다. 가까이 가니 만 원짜리 지폐였다.

나는 얼른 그 돈의 주인으로 보일만한 사람이 있는지 주위를 살폈다. 바로 길 건너 저쪽에서는 공사가 한창이었다. 나를 신경 쓰는 사람은 보이지 않고 자기네들끼리 분주했다.

그 외에는 길 이쪽도 저쪽도 공장이 즐비한 지대라서 인적이 드물었다. 나는 출처를 알 수 없는 돈을 주워 주머니 속으로 넣지도 그렇다고 바닥으로 내려놓지도 못한 채 1미터 정도 걸었다.

앞쪽에는 또 파란색의 지폐가 처음 것과 같은 모양으로 반으로 접힌 허리를 꼿꼿이 편 채 나를 바라보고 있었다. 바쁘게 이동하는 누군가의 지갑에서 차례로 떨어진 모양이었다.

나는 두 번째 지폐를 주우며 최근 티브이 프로에 '양심맨을 찾아라!'라는 프로가 신설되어 일, 이 만 원을 바닥에 뿌려놓고 몰래 촬영하고 있는 것이 아닐까? 하는 상상을 했다. 그때 주변의 건물에서 막 어떤 남자가 걸어 나왔다.

검은 양복에 줄무늬 와이셔츠를 받쳐 입고 금테 안경을 낀 약간 마른 체형의 남자.

'혹시 이 사람일까?'

나는 그 사람을 향해 어설프게 손을 내밀어 무엇인가를 말하려고 했다. 빨리 이 돈에서 벗어나고 싶다는 생각을 하고 있었는지도 모른다. 하지만 그 사람은 나를 흘깃 한 번 넘겨다볼 뿐 그냥 지나쳐갔다.

'이 사람은 아닌가?'

나는 이번에는 손을 내밀지도 그렇다고 주머니에 넣지도 못한 채, 돈을 쥔 손 그대로 자전거 핸들을 잡고, 빠르지도 느리지도 않은 걸음으로 걸었다. 핸들이 자꾸만 기우뚱했다.

제15화. 카라

대학 수강과목 중에 창작과 비평이라는 수업이 있었다. 내가 정말 좋아하는 교수 L의 수업이었는데 '말하기'에 소질이 없던 나는 L 교수의 말솜씨에 매료되었다. 전하고자 하는 말을 간단·명료하면서도 유머러스하게 표현하는 솜씨가 대단했다. 강의는 항상 잘 짜여 지루하지 않았고 무언가를 평가함에 있어서 특유의 스스럼없는 독설도 그만의 커리어로 느껴져 매력적으로 보였다.

우리는 인원이 적을 때면 L 교수의 방에서 수업을 듣곤 하였는데 10명 남짓 출석한 그날의 주제는 비유. 서로에 대한 이미지를 남자는 동물, 여자는 꽃에 빗대어 말해보기로 하였다. 덧붙여 본인이 생각하는 자신의 이미지도 함께.

나는 내가 타인에게 어떻게 비추어지고 있는지 무척 궁금했다. 지금도 그렇긴 하지만 그 당시의 나는 사람과 사귐에 요령이 없고 감정 표현에 굉장히 서툴렀기 때문에 조금은 두렵기도 했다. 만약 좋지 못한 얘기라도 나온다면 아무렇지 않은 표정으로 두 시간을 버틸 수 있을까 걱정이 되었으니까.

잠시 시간을 준 뒤 곧이어 발표가 시작되었고 먼저 본인이 생각하는 본인의 이미지에 대해서 동물과 꽃에 치환해서 말했다. 자신을 장미 혹은 호랑이라고 당당하게 칭하는 사람도 있었지만 내가 스스로를 위해 고른 꽃은 안개꽃이었다. 도저히 나를 어떤 꽃으로도 형상화할 수 없었던 나는 차라리 내가 되었으면 하는 꽃을 골랐던 것이다.

그러자 L 교수는 대번에 안개꽃은 평생 주인공이 될 수 없다고 일갈했지만 혼자가 되는 외로움보다는 그 편이 나을 거라고 위안하며 고개를 끄덕였다. 나는 어지간히도 애정결핍이었던 모양이다.

순서는 돌아서 다시 상대방이 느끼는 본인의 이미지에 대해서 말하는 시간이 왔다. 나를 대나무라고 하는 사람도 있었는데 평소 나와 친했던 언니는 굉장히 고민스러운 얼굴로 나에게 대가 굉장히 길고 곧은 식물이 연상된다고 말했다.

물론 별로 친분이 없어 아무렇게나 장미나 프리지어를 읊는 사람도 있었지만 나는 대체적으로 딱딱한 인상인 듯했다. 대학에 입학한 뒤로 인상이 차가워 보인다는 말을 종종 들었기 때문에 많이 웃어야겠다고 생각했다.

그때 좀처럼 칭찬을 하지 않던 L 교수는 내게서 '카라'의 이미지가 연상된다고 하였다. 줄기가 곧아 좀처럼 흔들리지 않는 자아가 튼튼한 그런 사람이라고. 나는 너무 기뻐서 그날 내내 이후 진행되는 수업에 전혀 집중할 수가 없었다.

제16화. 닮은 꼴

이른 새벽 서울로 올라갈 준비를 하고 있는데 미오 녀석이 주변을 어슬렁거리다가 기어코 넓게 펴진 내 치마를 깔고 앉았다.

지금이야 어머니가 금이야 옥이야 늦둥이 대하듯 키워 미오를 혼자 두고 피서도 못 가겠다고 하시니 행복한 팔자지만 나와 있을 땐 항상 혼자. 같이 살 때 내가 화장을 하면 의례 긴 외출이 되곤 했으니까 아마도 그 외롭던 시간을 기억해낸 모양이다.

시간이 촉박하여 치마를 잡아 빼어 일어나려고 하니 제법 앙칼지게 울면서 버팅 긴다. 게다가 깔고 앉은 치마를 잡아 빼는 내 손을 앞발로 척척 밀어내기까지.

'있는 동안 얼굴도 잘 안 보여주더니……. 이 녀석~! 시크한 척은 혼자 다 하더니 너도 참 솔직하지 못 한 고양이야.'

작별 인사를 고하고 터미널로 향하는데 문득 예전에 친구가 했던 말이 떠올랐다.

"민경아 너 미오랑 닮았어."
"진짜?"
"응."
"아. 맞다! 얼굴이 고양이 상이라는 말 들었어. 근데 또 누구는 멍멍이 상이라고 하던데……."
"아니~ 그런 거 말고, 너랑 미오랑 똑같이 생겼다니까~!"

그런데 어쩌면 닮은 것은 그것뿐만이 아닌지도 모르겠

다.

제17화. 관심받고 싶었어

일 인분의 식사도 정성스레 준비하는 사람이 있다. 메밀소바를 먹을 때엔 새우튀김 한두 개쯤의 데코는 빠지지 않으며 스파게티엔 꼭 식전 빵과 샐러드를 곁들이는 사람.

혼자만의 식사가 분명할진대 잘 차려진 음식이 당장 누군가를 초대해도 될 것처럼 구색이 맞다. 이런 걸 일종의 자기애라고도 볼 수 있을까? 아니면 단순한 식사에 대한 열정?

3월 한 달은 내내 아팠다. 몸살감기로 병원을 몇 번이나 다녀왔고 도저히 버티지 못할 것 같을 땐 링거도 여러 번 맞았다.

"벌써 2주째에요."
"그럼 이렇게 해볼래요? 대추차나 유자차에 꿀을 많이 넣어서 자주 마셔요. 비타민 섭취도 많이 하고요."

나는 의사와 상담하는 동안 요즘 길거리에 흔히 파는 오렌지나 딸기를 올해 한 번도 사지 않은 나를 발견했다. 보통 혼자 사는 직장인이 다 그렇겠지만 찬거리를 제외하고는 대부분 인스턴트로 때우기 마련, 그나마 회사 식당에서 영양사가 차려준 음식이 영양상 가장 호화로운 음식에 가까울 정도다.

평소에 잘 챙겨 먹지 않으면 몸이 아프게 되는 것처럼 식탁에 필수불가결한 요소가 있다면 내 인생에 있어서도 그러한 것들이 있을까? 스스로를 위한 엉터리 죽을 만들면서 나는 '관심받고 싶었어.'라는 예전 코미디 프로 유행어를 떠올렸다.

제18화. 그림자

오랜 시간 동안 내게 어머니란 말은 불가항력이었다. 대학을 졸업하고 취직을 하고 돈을 쓸 때마다 어머니란 이름은 그림자처럼 늘 내 뒤에 있었다.

무언가를 살 때 상품의 질 따위는 고려하지 않고 보다 값싸고 양이 많은 것을 고르는 습관은 어머니에게서 왔다. 무언가를 쉬이 버리지 못하는 성질도 어머니를 닮았다.

더 이상 매거나 입지도 않으면서 버리지 못하는 가방이나 옷가지처럼 이젠 쓸모없는 감정의 부스러기를 끌어안는다.

까맣게 변해버린 일기장 테두리처럼 언저리만 남은 기억. 정말로 그랬나. 정말로 그랬나 싶기도 한.

제19화. 안녕하세요

안녕하세요?

안녕하시냐고요?

아니오.

안녕 못 합니다.

제게 인사나 하자고 쪽지 보내지 마세요.

이상하게 들릴지도 모르겠지만

저는 사적인 대화에 상당한 의미를 두는 사람입니다.

비밀 이야기나 개인 정보 유출의 위험이 없는 내용을

굳이 사적인 방법으로 전달하는 까닭이 무엇입니까? 제 사고방식이 조금은 오래되고 낡았는지도 모르겠으나 저는 이해하지 못 하겠습니다.

제게 함부로 말 걸지 마세요.
건네어지는 마음 가벼울까
행여 쉽게 포기할까
두렵습니다.

그리고 무엇보다 싫은 건
한 사람이 지나간 후
풀어진 마음 추스르는 일.
너무 어렵습니다.
그러니 제게 아무렇지 않게 인사하지 마세요.

제20화. 친구

따순 밥을 한 그릇 먹은 것처럼 든든한 친구가 있다. 이른 새벽 보글보글 두부 넣고 버섯 넣고 온갖 몸에 좋은 재료로 정성스레 끓인 엄마표 된장찌개처럼 속 따뜻한 친구.

설탕 뚜껑을 열어줘라. 소금을 좀 더 쳐라. 배는 그렇게 많이 넣으면 안 된다. 잔손이 많이 가는 김장김치처럼 가끔 나를 수고스럽게도 하지만 마지막에 깨소금 팍팍 쳐 한 입 베어 물면 그 아삭한 고소함이 입안 가득

퍼지는 향기로운 친구.

이렇게 화창한 주말이 되면 우리 둘이 같이 보냈던 그 여름이 생각난다. 요리엔 젬병인 나를 위해서 된장찌개, 김치찌개 숟가락으로 호호 불며 간 맞추던 네 뒷모습.

우리 같이 골골대며 올랐던 후지산과 넣을 거 안 넣을 거 가리지 않고 되는대로 만들어도 맛있었던 찜통 떡볶이…….

'애랑 절대 결혼은 안 할 거야.' 입버릇처럼 말하곤 했던 네가 결국 그 애랑 올 4월에 결혼을 했어. 너는 곧 아이 엄마가 되겠지? 부부싸움이라도 하면 혹시 갈 곳이 없을까, 서럽진 않을까? 낯선 곳에서 혼자 버텨야 하는 네가 조금은 걱정이 된다.

이렇게 파란 하늘에 화창한 날씨를 걸을 때면 나는 네가 너무너무 보고 싶다. 친구야.

2014년 7월 27일

제21화. 슬픔의 전이

슬픔의 전이는 생각보다 느리게 왔다. 작년 여름 가족들과 몇 번이나 지나쳤던 황남빵, 찰보리떡 불 꺼진 간판을 지나 누구의 묘인지도 모를 무수한 능선을 가로질러 경주를 빠져나왔다.

죽음이 이토록 도처에 깔려있는 도시가 또 있을까? 온통 능뿐인 도시에서 놀란 관객처럼 마주친 우리. 평소보다 뜨거운 네 손을 쥐고서 무슨 말을 해야 할지 몰라 한참을 허둥대던 나에게 너는 내 잘 곳부터 챙겼더랬다.

그동안 나는 죽음과 꽤 멀리 있는 사람이라고 생각했다. 친지들은 내가 기억하지 못하는 옛날에 돌아가셨고 운 좋게도 나와 가까운 누군가의 죽음을 직접 목도한 일도 없이 나는 그것에 점점 무감해졌다. 어쩌면 티브이 드라마 속의 주인공들이 너무 자주 죽거나 병이 드는 사이에 익숙해져버린 것인지도 모르겠다.

나는 '정화장'에 누워 십몇 분을 뜬 눈으로 뒤척이다 잠에 들었을 것이다. 그리고 발인을 하는 다음 새벽에 첫 차를 타고 서울로 올라와 졸린 눈으로 아무렇지 않게 미리 예약해둔 미용실에서 머리를 하고 매서운 바람에 옷깃을 여미며 집에 들었을 것이다. 이튿날 출근길에는 어제 정말로 경주에 갔었나? 한바탕 디테일한 꿈을 꾼 것은 아닐까? 하는 생각도 했을 것이다.

라커룸에서 유니폼을 갈아입다가 나는 문득 무언가 허전하다는 것을 눈치챘다. 목덜미가 유난히 희어 보였다. 내가 목걸이를 뺀 적이 있었던가? 차근차근 이동경로를 되새겨 보기 시작했다.

모노레일? 라커룸? 셔틀버스? 미용실? 전철? 고속버스? 그것도 아니면 경주? 생각이 거기까지 미치자 급속도로 우울해지기 시작했다.

그러나 퇴근 후 아직 물기가 남아있는 욕실 바닥에서 그것을 주웠을 때 나는 기어코 내가 미워졌다.

여기 없는 것과 내게 없는 것, 내게 없는 것과 어디에도 없는 것은 너무나도 다른 이야기이기 때문에 나는 네 안부에도 한동안 편칠 못 했다.

제22화. K

K에게선 잊을만하면 연락이 온다.

“민경아. 잘 살아? 서울은 어때? 넌 서울이 좋니?”

1년 반 남짓한 서울 생활에 치가 떨린다는 그녀는 종종 내게 구인광고를 보내온다. 이런저런 모집요강을 스크랩한 메일. 서울로 올라오고 난 이래로 꾸준한 걸 보아 벌써 5년째이다. 전부 내 고향 남쪽에 있는 회사다.

정작 나는 이직 생각이 없는데 최근엔 직장을 바꾸었다며 지금 하고 있는 일을 그만 둘 생각이 있으면 자기가 다니는 회사에 나를 소개해주겠다는 전화가 왔다.

미안하지만 나는 이런 K의 전화가 싫다. 내 쪽에서 특별히 현재에 순응할 수 없을 만큼 불만이 있는 것도, K에게 바라는 것이 있는 것도 아닌데 별로 호응하기 어려운 말만 늘어놓다가 결국 "힘들지? 이제 네 얘기를 해봐." 원치 않는 차례가 온다.

마치 나에겐 항상 고민이 있어야 하고 자신은 그것을 들어줄 준비가 되어 있으며 적절히 위로해줄 아량이 넘치는 사람이라는 걸 잊지 말라는 듯이.

가느다란 전화선 너머로 나의 부정적 토로가 터져 나오길 기다리는 적막. 그 숨소리를 느낄 때마다 나는 전화를 끊고 싶어지곤 했다. K는 왜 내게 전화한 걸까?

'다니던 회사에서 내가 몸담고 있던 부서가 없어졌어.'
'오래전부터 기다리는 전화가 있어.'

'몸이 아프다.'

'아마도 배신당한 것 같아.'

굳이 빙빙 돌아오지 않아도 나는 그녀가 하고 싶은 말이 무언지 알 것 같은데…….

이직에 이직을 거듭하면서도 사회생활에 이력이 붙지 않는 K. 알고 있다. 무엇보다도 지금의 그녀는 외롭다는 것을……. 전화선 사이로 듣는 다소 과장된 나의 고민들이 다만 지금의 그녀에겐 위로가 된다는 것을…….

내달엔 내 고향 남쪽에 가야겠다. 그녀가 좋아하는 J대 부근의 커피숍에 앉아 두런두런 꽃 차라도 마시러…….

제23화. 그런 사람

이은미의 '결혼 안 하길 잘했지'를 듣고 있는데 왜 네 생각이 나나 몰라. 우린 사귄 적도, 미래에 결혼을 약속한 적도 없는 사이인데 말이야. 게다가 지금은 이렇게 저렇게 망가져버린 인연으로 연락조차 하지 않는데…….

너도 이 노랠 들으면 내 생각을 할까? 난 사실 너와 이런 사이가 되고 싶었다고 하면 넌 웃을까? 나의 연인을 누구보다 먼저 너에게 소개하고, 네가 아니라고 하면 정말 아닌가 보다 생각하게 되는, 서로에게 사랑이 아니라고 해도 나는 너에게 없어서는 안 되는 그런 사람.

나는 너에게 '그런 사람'이 되고 싶었다.

끝맺는 말

며칠 전 책상서랍을 정리하다가 맨 마지막 칸에서 마구 뒤엉킨 한 뭉치의 편지를 발견했습니다. 고향집을 떠나고 아주 오랫동안 방치되었던 내 어린 날의 일부가 고스란히 그곳에 있더군요.

영화, 명선, 지은, 윤정, 지희, 은지, 은진, 민경, 혜연, 보경, 기홍, 재복, 소희, 준혁, 승준, 성민, 정웅, 승훈, 호석, 재봉, 자연, 애순, 애란, 보라, 장미들과 함께했던 추억.

S·Y 라고 되어있지만 전혀 누구인지 기억나지 않는 이름이 있다는 것에 놀라면서 이렇게 저렇게 끊어져버린 인연에 안타까워하면서 편지를 읽는 동안 저는 아주 생생하게 초등학생의 나, 중학생의 나, 고등학생의 나, 대학생의 나를 대면할 수 있었습니다.

1년 전 자유인이 되고 난 후 3개월간 배낭여행을 했습니다. 중간에 계좌에 문제가 생겨 발이 묶일 뻔 했던 상황도 있었는데 때마침 한국인을 만나 돈을 꾸어 여행을 계속하면서 세상은 참 재미있다고 생각했습니다. 그 타이밍이라는게 정말 기가 막히다고 생각했으니까요.

'인생은 타이밍'이라는 말이 있죠? 물론 '사랑은 타이밍'이라는 말에 더 격하게 동의하지만 어쨌든 사랑도 인생의 한 범주 안에 포함되니까…….

그래서 저는, 그동안 막연하게 생각해왔던 어떤 꿈이 제게 한 발짝 다가와서 '이제 때가 되었어.'라고 말해주는 듯한 착각같은 것을 느끼면서 이 책을 만들게 되었습니다. 나중에 보면 온통 촌스럽고 유치한 기록일지라도 그 순간의 솔직한 감정을 담는 것만으로도 충분하다고 생각하면서요.

마지막으로 제 글을 읽어주신 모든 분들께 기억은 생각보다 빠르게 퇴색되어버리니까 '하고 싶은 말이 있으면 지금 하는 것이 좋고, 기억하고 싶은 것이 있으면 바로 기록하는 것이 좋다.'고 말하고 싶네요.

그러니까 조금 어색하고 부끄럽더라도 '시작하자.' 그것이 사랑이라도 좋고 꿈에 대한 도전이라도 좋으니까. 그리고 이건 제 스스로에게 하는 말에 더 가깝지만 언젠가 스스로에게 박수칠 수 있을 때까지 우리 모두 화이팅!

2016년 2월 25일 정민경